JOSEPH

QUARTET

for 2 Violins, Viola and Violoncello
F major/F-Dur/Fa majeur
Hob. III: 82
(Op. 77/2)

Edited by/Herausgegeben von
Wilhelm Altmann

Ernst Eulenburg Ltd
London · Mainz · New York · Paris · Tokyo · Zürich

Quartet Nº 82

I

Joseph Haydn, Op. 77, Nº 2
1732 - 1809

Allegro moderato

20

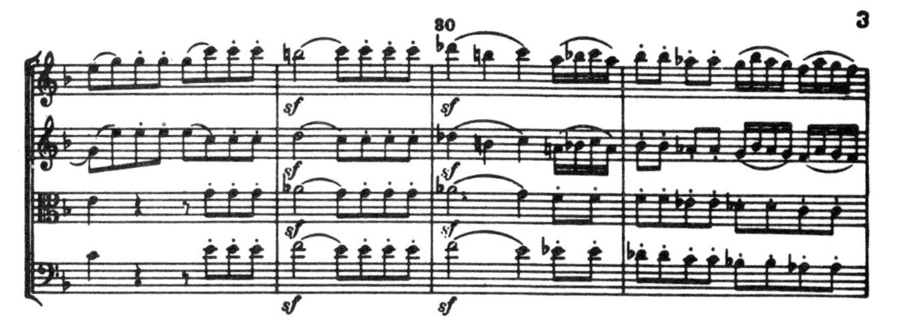
80
sf
sf
sf
sf
sf
sf
sf
sf

sf
sf
sf
sf
sf
sf
sf
sf

sotto voce
sotto voce
sotto voce
sotto voce

40
sf
sf
p
sf

pp
mp
sf

50
sf

f

1.
2.
p

60
p
f
f
f

f
sf
sf
sf
sf
sf
sf

sf
sf
sf

70
p
p
p
sf
sf
sf
sf

80

90

p
p
p

f
f
f
f

100
sf

sf
sf
p
sf
sf
p
sf
sf
p
sf
sf

110
G.P.

120

sf
sf
sf
sf

130
p
cresc.
mf
p
cresc.
mf
p
cresc.
mf
p
cresc.
mf

p
p
f
sf
p
f
sf
p
f
sf

140
sf
p
sf
p
sf
p
sf
p

f
f
f
f

mezza voce
mezza voce
mezza voce
mezza voce

150
tr
sf
sf
sf

pp
mp
pp
mp
f
pp
mp
pp
mp
sf

160
sf
sf
sf

tr
f
f
f
f

3
sf
sf
sf
sf
sf
sf
sf
sf

170
3
sf
sf
sf
sf
sf
sf
sf
sf
sf
sf
sf
sf

II

Menuetto. Presto, ma non troppo

30

40

p
f
50

cresc.
f
p
60

70.

Trio
G. P.
80
pp
pp
pp
pp

90

M.d.' C.

III

20
1.
f
p
f
ff
p

2.
p
p
p

30
sf
p
sf
p
p

tr
tr
sf
sf

40
dolce
mf

dolce
mf

50

60

tr
sf
f
tr
sf
tr
sf
sf
sf

tr
sf
f
70
cresc.
ff
tr
sf
f
cresc.
ff
f
cresc.
ff
f
cresc.
ff

p
p
p
mf

80
1.
2.

90

cresc.
cresc.
cresc.
cresc.

il
f
più f
il
f
più f
il
f
più f
il
f
più f

100
ff
ff
ff
ff
pp
ff
ff
ff
pp
ff
ff
ff
pp
ff
ff
pp

110

IV

Finale. Vivace assai

20

30
sf
sf
sf

40
f
f
f
f

50

1
sf

sf
sf
sf
sf
sf
f
f
sf
sf

2.
60
sf
sf
sf
sf
sf
sf
sf
sf
sf
sf
sf

sf
sf
sf
sf
sf
sf
sf
sf
sf

p
p
p
p
cresc.
cresc.
cresc.
cresc.

70
f
f
f
f

80

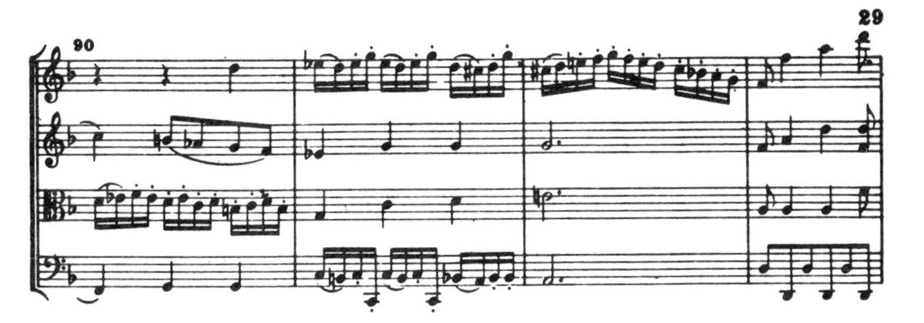
90

p
p
sfp
sfp

100
sfp
sfp
f
f
f
f
sf
sf

sf
sf
decresc.
decresc.
decresc.
decresc.
p
p
p
p

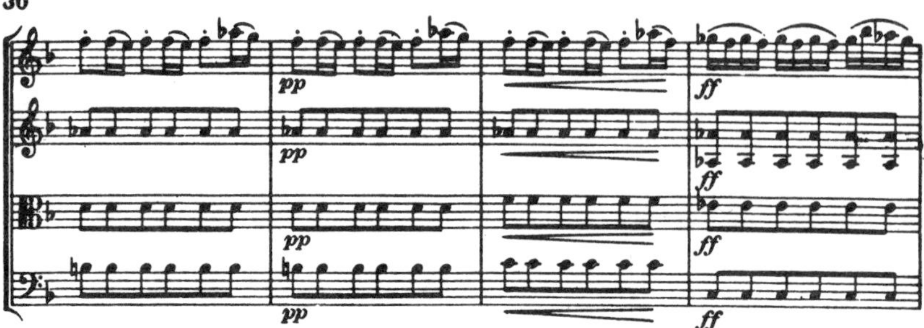
pp
pp
pp
pp
ff
ff
ff
ff

110
sf
sf
sf
sf

f
f
f
f

120
sf
sf
sf
sf
sf
sf
sf

sf
sf
sf
sf
sf
sf

130
sf
sf
sf
sf
sf
sf
sf
sf
sf
sf
sf
sf
sf
sf
sf

sf
sf
sf
sf

140
sf
sf
sf
sf
sf

sf
sf
sf
sf
sf
sf
sf
sf
sf
sf
sf
sf
sf
sf
sf
sf

150

160
p
sf
sf
p
sf
sf
p
sf
sf

8
p
f
p
f
p
f
p
f

170

180
p
p
p

mf
f
mf
f
mf
f
mf
f

p
p
p

190
pp
f
pp
f
pp
f
pp
f